PSIQUIATRÍA
en el ARTE

Félix González Núñez

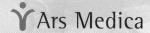
Ars Medica

© Reimpresión 2006 Grupo Ars XXI de Comunicación México, S. de R.L. de C.V.

© 2006   Del autor
© 2006   Grupo Ars XXI de Comunicación, S.L.
            Passeig de Gràcia 84, 1.ª planta - 08008 Barcelona
            www.ArsXXI.com
ISBN: 84-9751-102-6

Depósito legal: M-44214-2005
Impreso en México
por Castellanos Impresión, SA de CV
Ganaderos 149, Col. Granjas Esmeralda, 09810, Iztapalapa, México, DF

PRÓLOGO

Ya en el siglo V a.C. Hipócrates entendió que las enfermedades psiquiátricas no eran una expresión sobrenatural, sino que se debían a las alteraciones de los humores que entonces se conocían (bilis negra, bilis amarilla, flema y sangre), es decir, aceptaba que la patología psiquiátrica tenía un origen físico. Pero hubo que esperar hasta el siglo XIX para ver cómo se desarrollaba la psiquiatría como ciencia médica. Kraepelin hace una clasificación de las enfermedades mentales que aún hoy sigue vigente: la psicosis depresiva y la demencia precoz. Bleuler sustituye la demencia precoz por la esquizofrenia. Freud define la teoría psicoanalítica que da lugar al psicoanálisis. Y ya a finales del siglo XIX y principios del siglo XX, Pavlov explica la teoría de los reflejos condicionados después de un estudio fisiológico de los mismos, lo que dará lugar al conductismo.

Es importante recordar cómo la psiquiatría se ha ido abriendo paso en el campo de la ciencia, porque lo que es una realidad es que definir la enfermedad psiquiátrica lleva consigo conocer a fondo el entorno social y cultural de cada época. Así, la psiquiatría se ocupa de enfermedades mentales realmente graves y difíciles de conocer a fondo, pero también debe dar respuesta a trastornos relacionados con formas anómalas de reacción a ciertos comportamientos. Los años finales del siglo XX supusieron una verdadera epidemia de los trastornos de ansiedad generalizada (ansiedad, trastorno obsesivo-compulsivo, ataques de pánico, etc.), enfermedades que en otros períodos históricos no se hubieran considerado como tales. Quizá sean estos trastornos los que más se han representado en el mundo del arte, y es que las enfermedades psiquiátricas han sido tema constante de expresión artística a lo largo de los siglos. Este libro que tengo el placer de prologar, *Psiquiatría en el arte,* es una visión bella y amable de una realidad tan cotidiana como la expresión social de la enfermedad psiquiátrica. Los médicos en general, y los psiquiatras en particular, nos vemos obligados a ver la enfermedad en su entorno clínico, bien en las consultas ambulatorias, bien en los hospitales, pero el enfermo o la enfermedad mental conviven con el quehacer cotidiano de quien la padece y su entorno, en el trabajo, en la familia, en el día a día, y es esta expresión lo que los grandes artistas han sabido expresar en sus cuadros.

El alcoholismo, como manifestación de trastornos de adicción, se ha contemplado desde hace relativamente pocos años en psiquiatría y en la sociedad, pero la pintura se ha ocupado mucho de este tema, lo que indica lo arraigado que se encuentra en el entorno social. Quizá el cuadro *A la Mie* (de H. M. de Toulouse-Lautrec) muestra una escena cuyas consecuencias sanitarias pocos pueden llegar a imaginar: saber identificar bien la línea entre la bebida alcohólica como un acto social o como una dependencia.

Los trastornos del sueño (*El sueño,* de P. Puvis de Chavannes; *La noche,* de F. Hodler) expresan cómo una actividad tan cotidiana y necesaria se puede trasformar en una alteración del biorritmo y producir una sensación de angustia o ansiedad.

Los trastornos de ansiedad ya se reflejaban en la pintura del siglo XIX. *El grito* (de E. Munch) es un cuadro muy representativo del ataque de pánico si además tenemos en cuenta la explicación que de él dio su autor: «descripción de lo que sentí al contemplar la caída del sol». Un tema, ya tratado en el siglo XVI, es la demencia. El cuadro de Q. Metsys, *Vieja mesándose los cabellos,* representa a una anciana con gesto de ansiedad extrema que puede simbolizar el miedo que sufren los pacientes con demencia debido a su desorientación y a la pérdida del entorno físico. Otra fase de la demencia puede estar muy bien representada en el cuadro de T. Géricault, *La loca,* donde aparece una mujer con gesto de tristeza infinita y mirada perdida.

Este precioso libro hace un recorrido artístico por la expresión pictórica de ciertos síntomas o enfermedades psiquiátricas, lo que nos acerca, con gusto estético, al entorno cotidiano de los enfermos mentales. Espero que el lector sienta esa misma calma que los cuadros nos transmiten a la hora de compartir con sus enfermos sus vivencias mentales, a veces tan cerca del lado más oculto de la existencia.

Augusto Peláez

Psiquiatra

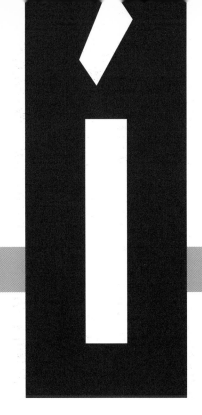

NDICE

PSIQUIATRÍA en el ARTE

INTRODUCCIÓN

Félix González Núñez

Ansiedad e insomnio, drogadicción y dependencias, delirio y esquizofrenia, enajenación y locura, melancolía y tristeza, desaliento y depresión, ludopatía, manías y demencias, y otras muchas expresiones que podríamos añadir, son términos íntimamente relacionados con trastornos de lo más profundo del ser humano, su psiquismo, y con alteraciones de su conducta producidas por desequilibrios de la mente que derivan en desajustes patológicos del individuo.

En su conjunto, vendrían a ser la razón adormecida, ausente, la «sinrazón» que «produce monstruos» imaginada y pintada por el genial Goya. Los «monstruos» de los celos sin control y el odio sin medida engendrados por el amor mal entendido, la desesperanza fundida en el desamor, el crimen cobarde, la desesperación desbocada, el suicidio indigno, etc.; «monstruos» que atacan sin piedad el entendimiento y la voluntad de quien los padece.

Y aquí es donde la psiquiatría, como campo específico de la medicina, desempeña un papel fundamental para lograr el adecuado ajuste de estos desarreglos. Se convierte, así,

Merzbild 1A (El psiquiatra). Kurt Schwitters (Museo Thyssen, Madrid)

en todo un arte de la precisión; un arte que remueve la entraña humana, restaura y recompone, coloca en su sitio las piezas que devuelven toda su dignidad a la persona. Y tiene que hacerlo sin olvidarse de las múltiples manifestaciones que, con harta frecuencia, actúan como timbres de alarma de la catástrofe psíquica en el entramado de la sintomatología somática. Por ello, la enfermedad psíquica muestra un sinnúmero de piezas y caras que el psiquiatra tratará de ensamblar y que servirán al artista como punto de partida de su inspiración para crear la obra de sus sueños, unas veces mirando a su alrededor y otras escudriñando en lo más intrincado de sí mismo. En este contexto (arte/medicina, psiquiatría/pintura), nace una estrecha vinculación estética —explícita o implícita— entre patología psíquica y tema artístico, entre medicina y pintura, tantas veces repetida a lo largo de la historia del arte pictórico y de la ciencia médica (Gaya, 1958).

He ahí la razón de ser de las reflexiones que, en forma de libro, hemos pretendido traer a la consideración de nuestros lectores a lo largo y ancho de las páginas que siguen, tanto si se conforman en líneas o renglones como si lo hacen en imágenes extraordinarias de la pintura universal, cuya estética produce admiración y asombro en el espectador y, al menos, curiosidad en el estudioso. Esto nos hace posible una contemplación interesada de los más variados aspectos, recogidos en seis grandes capítulos y una muestra de cuadros, siendo conscientes de que tanto unos como otros son un exiguo ejemplo de tantos como se podrían haber traído a la formalidad de un libro que sólo pretende entretener y servir de acicate para el estudio más profundo a quien se sienta interesado en el tema.

No nos cabe duda de que, sea de la época o del estilo que sea, e independientemente de quien la haya pintado, cada obra representa un hito en esta serie de incentivos al estudio, si bien nos hemos centrado en creaciones nacidas de pinceles y paletas prodigiosas durante casi cinco siglos, entre el renacimiento y el decimonónico realismo onírico, pasando por el mejor barroco, la ilustrada pintura galante, el último impresionismo, el crudo realismo naturalista o el expresionismo desaforado.

De todos y cada uno de los capítulos dedicados a las patologías psíquicas, hemos querido presentar, en una especie de breve exposición antológica imaginaria, cuadros de distinto momento originario que sirvan de recorrido estético para conformar un conjunto significativo de temas susceptibles de deleite en su observación y recreación.

Ni que decir tiene que la Historia del Arte, en especial de la pintura, muestra infinidad de referencias a ese mundo interior del ser humano, objeto de estudio por parte de la psiquiatría. Ello se hace evidente en las antiguas culturas del Próximo, Medio y Lejano Oriente y en las enigmáticas concepciones representativas del antiguo Egipto; lo mismo ocurre en obras propias del mundo clásico, Grecia y Roma, que en otras posteriores de nuestro mundo occidental, a través de estilos como el paleocristiano, el románico o el gótico. Desde luego, no serían menos las pinturas que podríamos contar entre las creadas sobre tabla, lienzo o muros por artistas de épocas mucho más recientes que se hacen notar en este libro con sus imágenes, o las de cuantos contemporáneos de los mismos no han tenido cabida en estas páginas, sin ser por ello menos valiosos. Tiene lugar así un recorrido por el barroco, la ilustración y el siglo XIX que completa un hermoso elenco de temas e imágenes.

En un análisis sucinto de la cuestión, tanto desde el punto de vista de la ciencia (Medicina) como del arte (Pintura), podríamos tomar el término *locura* como punto de partida y paradigma de cuantas patologías y expresiones estéticas podemos encontrar en la diversificación temática que se nos ha presentado. Y es curioso cómo desde la ironía, la sátira y la denuncia de falsos médicos y embaucadores, el mundo artístico (que no el científico, como es natural) se hace presente en las espléndidas alegorías conocidas como *Extracción de la piedra de la locura* de pintores tan geniales como P. Brueghel el Viejo y Hieronymus Bosch el Bosco, o en pintores de género como J. Steen, A. Brouwer, J. Sanders van Hemessen, F. Hals y el largo etcétera de figuras pertenecientes sobre todo a las escuelas flamenca y holandesa del barroco.

A partir de ahí, podemos traer a colación —no sin un pequeño esfuerzo de memoria— la formidable riqueza de temas derivados. ¿Cómo olvidar, por ejemplo, los trastornos manifestados por uno de los personajes de *La transfiguración* de Rafael (Museo del Prado)? ¿Cómo no tener presentes las referencias al delirio en las distintas y numerosas efigies de *Baco ebrio* (A. van Dyck, P. P. Rubens, y tantos otros) o en tantas escenas de bacanal o de taberna, donde el grupo humano se rinde a la atracción del exceso etílico o el solitario se refugia en su dependencia de la embriaguez? Por citar alguno, bien podrían ser un ejemplo *El alegre bebedor* de F. Hals (Rijksmuseum, Amsterdam) o la retahíla de bebedores de ajenjo presentes en no pocas obras de época más reciente, desde los impresionistas hasta Picasso.

Y, en otro orden temático, ¿cómo no hacernos eco también de las melancolías y tristezas pintadas en alegorías como la de D. Fetti (Museo del Louvre) y en tantas de *Magdalena penitente*, arrepentida, como nos legaron el renacimiento y el barroco? ¿Cómo dejar pasar el mismo tema sin citar siquiera los rostros tristes o en-

ajenados de retratos regios, expuestos en la pintura de historia decimonónica, que podemos ver en *El príncipe Don Carlos de Viana* de J. Moreno Carbonero (Museo del Prado)? De igual modo nos aparecen las demencias en personajes del mismo rango y condición o en otros de extracción mucho más humilde y popular. Como ejemplo de unos y otros, son significativos el cua-

La extracción de la piedra de la locura o *El cirujano.*
J. Sanders van Hemessen (Museo del Prado)

dro sobre *La demencia de Isabel de Portugal*, madre de Isabel la Católica, pintado por P. Clavé (Museo de San Carlos, México) y *El tonto del pueblo* de Ch. Soutine. Incluso las «enfermas de amor» serán el motivo pictórico de una amplia gama de cuadros barrocos de pequeño tamaño y de otros de gran tamaño del siglo XIX, de los que, en España, es paradigmática la figura de Doña Juana la Loca en su variado elenco de presentaciones.

Numerosas son, igualmente, las creaciones alusivas al sueño y sus trastornos como patología. Sirvan de ejemplo desde *El sueño de Jacob* (J. de Ribera, Museo del Prado), con un sentido claro de sosiego y reparación del cansancio, hasta *Lady Macbeth* (J.H. Füssli, Museo del Louvre), cuyos ojos denuncian el padecimiento y la afección. En medio podría citarse un sinfín de referencias a lo onírico, expuestas entre *La visión de san Jerónimo* (Parmigianino, National Gallery, Londres) y las *Visiones del más allá* (El Bosco, Museo del Prado), y que se extenderían hasta los más intrincados y recónditos rincones del último surrealismo.

¿Qué decir, asimismo, de la cantidad de lienzos dedicados a la pintura de género para traducir escenas envueltas en humo de tabaco u otras sustancias susceptibles de crear dependencias —conturbadoras de la mente— y consumidas con la voracidad de quien está atrapado en el pasajero placer y en el bienestar efímero? Y ahí están los «fumadores», el espacio reservado de la «sala de fumar», o el instrumento imprescindible en el «hombre con pipa», dispuestos en lista arracimada de obras y obras semejantes a la que podemos contemplar en *El fumadero* (L. Le Nain, Museo del Louvre). Al propio tiempo, y aunque no conformen un capítulo expreso en nuestro libro, no nos resistimos a hacer alusión a las ludopatías como expresión artística de otro de los más grandes desequilibrios de la conducta humana. Hay obras que nos las presentan en la edad temprana, en la niñez, y tampoco faltan las que nos las hacen ver impregnando sin solución la vida de los adultos. Ambas formas de recreación estética han sido la expresión de extraordinarios pinceles en manos de pintores excepcionales. Recordemos entre las del primer grupo (ludopatías infantiles) los *Niños jugando a los dados* de nuestro mejor B.E. Murillo (Alte Pinakothek, Munich) y entre las del segundo a los *Jugadores de cartas* de B. Manfredi (Palacio, Florencia) o el cuadro con el mismo tema de L. van Leyden (National Gallery, Washington).

Para cerrar la galería de tantas obras que nos han expuesto las profundidades del alma humana, traemos una muestra sobre los problemas psicoemocionales derivados del amor sin cauce adecuado: los celos. Y lo hacemos con una tabla que, por su sentido alegórico, puede ofrecer una visión generalizadora de todas las demás miradas sobre el tema; se trata de la renacentista *Alegoría del amor* del Bronzino (National Gallery, Londres).

Con este breve recorrido (¡cuántas más genialidades pictóricas se nos quedan en el camino!) no pretendemos más que suscitar en ti, querido lector, la curiosidad tras la observación, el interés junto a la contemplación y el gozo de sentir la pintura como un instrumento que pone a tu alcance la posibilidad del estudio (si el tema es objeto de tu inquietud). En todo caso, el asombro ante la imagen y el entretenimiento en la lectura a lo largo de unas decenas de páginas bastarán para que nos sintamos satisfechos de haber procurado tu disfrute y para tomar impulso ante nuevos y semejantes retos.

PSIQUIATRÍA en el ARTE

COMENTARIOS ESTÉTICOS

Los borrachos (hacia 1629)
D. Velázquez (1599-1660)
Madrid. Museo del Prado

Si hay alguna obra que juegue a la dualidad engañosa de su mensaje a través del simbolismo, ésa es la de Diego Rodríguez de Silva y Velázquez que tenemos ante nosotros: *El triunfo de Baco* o *Los borrachos*.

En efecto, con la maestría ya conseguida hacia los años 20 del Siglo de Oro, Velázquez nos invita a contemplar uno de los grandes temas clásicos de la mitología en una escena de la picaresca cotidiana que hace del alcohol un protagonista.

Realismo e idealismo se conjugan para llevarnos a la lección moral de lo que supone llegar a una conducta degradada. Para ello, podemos contemplar el cuadro dividiéndolo en tres secciones: una, a la izquierda (que bien pudiera titularse *La exaltación del vino*), está representada por las dos figuras semidesnudas de los pícaros mancebos —tratados al modo de Caravaggio— que quieren expresar la serenidad de los dioses; a la derecha, se desarrolla la escena de la miseria marginal de la embriaguez en la que se dan cita los borrachos (alcohólicos crónicos), de rostros envejecidos y deformados, que muestran la alegría inconsciente y desefandada del que nada tiene y todo lo encuentra en un vaso de ubérrimo líquido (junto a ellos quedan todavía las figuras más miserables aún del gaitero —posiblemente ciego— y el mendigo, que se acerca respetuoso, quitándose el sombrero, al tiempo que alarga la mano en limosnero ademán); por último, la tercera escena es «la bufonada» en la que el soldado de los tercios (¿vencedor en mil batallas?) sucumbe postrado de rodillas ante su tiránico dueño y señor: el vino, dejándose llevar hasta lo más bajo de la condición humana…

El rey bebe (entre 1620 y 1645)
J. Jordaens (1593-1678)
Bruselas. Museo de Bellas Artes

Ésta es una de las innumerables versiones que se hicieron durante el siglo XVII sobre la costumbre, típica de los países centroeuropeos, de coronar como rey a un familiar o amigo en la fiesta de la Epifanía del Señor (día de los Reyes Magos).

Jordaens nos sitúa, con una escenografía de ambiente más refinado que la de Steen, en medio del verismo festivo (entre lo cortesano y lo grosero), acaso jovial, acaso grotesco, nada ajeno a lo caravaggesco o a las composiciones de Rubens o Teniers, en un tema de exaltación de la euforia alcohólica y de testimonio de la dolencia provocada.

Los personajes se mueven en un ritmo de contrastes: frente al aparente refinamiento de las figuras femeninas que degustan los caldos con delicadeza, se contrapone la vomitera despreciable de la naturaleza humana degradada, presa ya de los efectos trágicos de la sangre envenenada por el exceso.

Exceso manifestado en la conducta del que vomita, cae, tropieza, convertido en guiñapo, o en el estruendo de los que alzan la jarra, la copa o la pipa con gesto desenfrenado e impropio de la condición humana. Hasta el mismo perro (en perfecta identidad con la animalidad de su amo) se alza inquieto a participar del desbarajuste emocional.

La maestría de planteamientos de Jordaens surte efecto tras la abigarrada presencia de figuras, en un perfecto concierto de movimientos y contorsiones, demostrando su dominio de la composición, en la que la destacada figura central del «rey» nos invita sonriente a que caigamos en la trampa de consumir la copa...

La alegre compañía (hacia 1673-1675)

J. Steen (1626-1679)

Nueva York. Metropolitan Museum of Art

Resulta un tanto chocante encontrarnos con un pintor que, en pleno siglo XVII y con una fidelidad extraordinaria al magisterio de la Iglesia Católica, pudiera desarrollar una buena parte de su obra (cerca del millar de cuadros) atendiendo al tema religioso, pero tratado como si fuese una sucesión de escenas de género en las que no faltan ni la anécdota cómica ni, al mismo tiempo, la actitud moralizante.

Todo ello crea un ambiente de humorismo irónico y gracia maliciosa que no abandonó nunca el peculiar gusto barroco del artista.

Una muestra es la escena que contemplamos (quizá un remedo *sui generis* de las bodas de Caná), en la que la atmósfera sensual creada no oculta la recreación de personajes entregados al exceso báquico.

Con una técnica de pincelada minuciosa y de color exhaustivamente estudiado, el pintor presenta detalle tras detalle (copas, pipa, laúd, juguete, etc.), toda una serie del cuadro dentro del cuadro. Con una temática cambiante en razón de la escenografía, busca su culminación en el eje central del lienzo, donde pone de relieve la figura protagonista del niño (¡qué precoz inicio del camino hacia la propia indignidad y destrucción como persona!) en el momento en el que un anciano le ofrece la copa con el rosado y transparente «néctar de los dioses» mientras el infante, desde los brazos de la sonriente abuela cómplice, alarga ávido la mano para recoger, con rostro iluminado, el recipiente. Quizá una nueva víctima del embrujo etílico ha comenzado la carrera hacia el abismo...

A la Mie (1891)

H. M. de Toulouse-Lautrec (1864-1901)
Boston. Museum of Fine Arts

Salvando las diferencias técnicas y de interpretación moral de la realidad, en esta obra se pone de manifiesto la extraordinaria interrelación personal y artística entre dos genios de la pintura y sus creaciones respectivas. Nos referimos a Toulouse-Lautrec y Degas.

Sin duda, el sin igual ejemplo pictórico que se nos muestra en *A la Mie* guarda una estrecha similitud con el cuadro de Degas titulado *Ajenjo*. La escena, el ambiente (interior de un local) y los personajes son prácticamente los mismos; el tema (la embriaguez), también.

No era tampoco la primera vez que Toulouse-Lautrec abordaba esta situación del beodo ante la mesa, con la botella y el vaso semivacíos; ya en el 1889 había pintado —con una curiosa combinación de materiales (tinta, pluma, pincel y pastel)— su famosa *La Borracha*, pero nunca había transmitido de modo tan singular los caracteres de una persona atenazada por el alcohol, marcados en un semblante de falsa felicidad proporcionada por la embriaguez.

Por eso, entre la sonrisa inconsciente y el gesto de desprecio de sí mismo y del mundo, el artista coloca, de improviso, en el rostro de su amigo M. Guibert —que le sirvió de modelo— la displicencia propia del que «se pone el mundo por montera» e inicia el camino de la dejadez más absoluta, porque todo le da igual...

Toulouse-Lautrec expresa así el escapismo hacia una realidad cruda, intranquilizante y brutal como análisis y crítica social frente al mundo normativo e ilusorio del que procedía.

Venus y Marte (1483)

S. Botticelli (1445-1510)
Londres. National Gallery

A la influencia del sueño no escapan ni los propios dioses. Eso parece querer expresarnos esta formidable obra del gran maestro italiano Sandro Botticelli.

Según la mayor parte de los autores, los personajes deben de estar inspirados en dos jóvenes de sus familias protectoras: Juliano de Médicis y Simonetta Vespucci, que recrean el tema del sueño eterno encarnado en figuras semiyacentes y expresado ya en algún sarcófago romano de época tardía.

La estética formal de líneas, en armonioso equilibrio, la pone el artista al servicio de la expresión de un sentimiento de dominio inquieto en la muchacha (Venus), contrapunto de la quietud y abandono en los que se sume el cuerpo semidesnudo, voluptuoso, del joven (Marte).

Sin embargo, la lectura del significado estético hay que hacerla al revés; es decir, desde un simbolismo neoplatónico en el que Venus será la expresión de la bondad, lo placentero, la *humanitas,* mientras que Marte encarnará el odio, la violencia. Y es Venus (la delicadeza, la *humanitas*) la que ejerce su influjo sobre Marte (el arrebato, la pasión), utilizando el arma sutil del sueño gozoso tras el instante placentero.

La necesidad de reposo, el ambiente creado y el paisaje no dejan elección al guerrero, y Botticelli aprovecha la ocasión para dar una lección magistral sobre la utilización de las masas cromáticas, la combinación de líneas y el estudio expresivo del rostro de una mujer romántica, inteligente, que, aunque lejana e inaccesible en apariencia, queda extasiada ante el sueño por ella provocado...

Detalle de *La siesta (1890)*

V. Van Gogh (1853-1890)
París. Museo del Jeu de Pomme

Cuando en la década de 1880 el genial Vincent entró en contacto con la obra de Millet y quedó fascinado por el dibujo ennoblecedor del pintor de la vida campesina, decidió continuar la estética del pintor francés desde el sentido del «hombre añadido a la naturaleza» (Millet había muerto ya en 1875).

Por eso, en 1890 (cercano ya su final), no lo duda y pinta —como primeros cuadros después de una época dedicada sólo al dibujo— sus cuatro versiones de *Las cuatro horas del día* de Millet. La primera que completa es la que se nos ofrece ahora a la contemplación: *La siesta.*

Ésta es una obra que se sitúa a caballo entre Millet y Segantini, muy cerca de la imagen originaria del gran pintor del realismo francés. En ella, la conjugación hombre/naturaleza es casi perfecta en esa hora del día en que, después de dar gracias a Dios por el trabajo (recordemos *La hora del Ángelus* de Millet) y la frugal comida, el campesino se deja llevar por el sueño reparador que le permite reponer fuerzas para continuar con la tarea fatigosa, pero esperanzada en la cosecha fructífera, de su trabajo.

Con una pincelada gruesa y rotunda, llena de color intenso, y los cuerpos perfilados por una línea de contorno sinuoso, Van Gogh crea la atmósfera y el ambiente propicios para que lo trivial se convierta en sublime y las figuras endurecidas contrasten con la placidez del momento más personal e íntimo que, por necesario, deviene placentero...

El sueño (1883)

P. Puvis de Chavannes (1824-1898)
París. Museo de Orsay

Está claro que con esta composición, llena de sencillez y simplicidad, el gran pintor de Lyon ha querido llevar al espectador la nota densa y profunda del sueño como concepto idealizado de «un alto en el camino»; del camino —seguramente penoso— simbolizado por la figura de la mujer recostada junto a su pobre hatillo, ligero equipaje de un viaje diario y fatigoso por las rutas de la vida.

La escena trasciende el hecho biológico del descanso como necesidad, para transformarse en el concepto idealizado de lo eterno, de lo que nunca pasa y no es menester seguir buscando. Es como el tiempo detenido.

Para lograrlo, a Pierre Puvis de Chavannes le sobran aquí los efectos ilusionistas y teatrales que otros pintores simbolistas utilizaron. Le bastan su preocupación por la unidad entre la superficie del lienzo y la disposición de la figura, valiéndose de un cromatismo pobre dispuesto en franjas horizontales que sólo quedan rotas por las figuras marmóreas (blanco-hueso) y escultóricas del Amor, la Gloria y la Riqueza.

Por su paisaje, evocador de la inmensidad desolada de arenas y mares (cremas y azules) y la luz tenue de la luna en cuarto menguante, podría pensarse en una obra de ejecución facilona —de ello fue tachada en el Salón de 1883—, pero la realidad es que el artista expresa en ella «la quintaesencia de sus facultades», como bien apuntó en su día T. Duret.

Detalle de *La noche (1890)*

F. Hodler (1853-1918)
Berna. Kunstmuseum

A veces, lo fantástico, lo imaginario son el sustrato de la realidad subsconsciente expresada en la imagen onírica, donde el espíritu adquiere prioridad absoluta frente a las limitaciones de lo material.

Ello permite alejarse de la realidad cotidiana para adentrarse en la que no está sujeta a la propia voluntad, realidad cuyas formas escapan a la propia concepción del mundo y de las cosas y se convierten en elementos no tangibles, llenos de una idealización que trasciende el propio ritmo, y lo altera.

Esto es lo que expresa la gran serenidad de la composición mural que presentamos aquí y que se debe a uno de los grandes pintores suizos del siglo XIX. Sin embargo la quietud del sueño apacible de las figuras y la enorme fuerza del ritmo compositivo de la obra quedan rotas por el elemento visonario que el artista introduce en el grupo central a través de una forma indefinida, mancha informe de color oscuro que provoca esa descomposición de cara, ese espanto, esa angustia, ese terror indescriptibles en la escultural figura del hombre, supuestamente dormido y atrapado por la pesadilla.

Es la placidez interrumpida del sueño y el inicio de una alteración en el biorritmo cuya simple expresión en la representación pictórica ya ocasiona un serio trastorno de desasosiego y estremecimiento en quien la contempla.

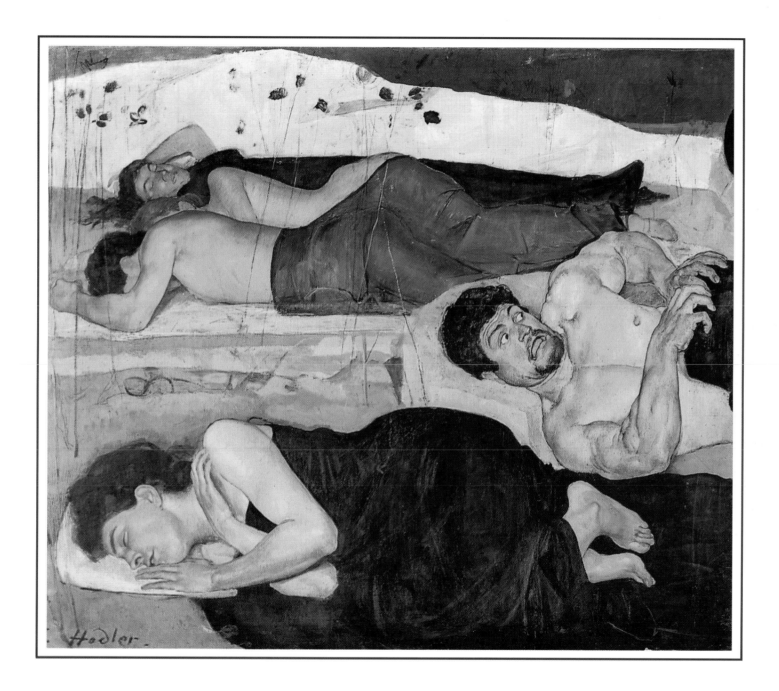

El grito (1893)
E. Munch (1863-1944)
Oslo. Museo Munch

Es frecuente que la mayor parte de las personas exteriorice su estado de ánimo o emociones vitales; pero, a veces, lo hacen como expresión profunda de algo interiorizado y no definido, intuido y carente de reflexión por parte del propio sujeto.

Uno de los ejemplos más claros es el que nos ofrece, con este cuadro, el gran pintor noruego E. Munch, en la que quizá sea su obra más famosa y divulgada (recientemente robada y más tarde devuelta al Museo de Oslo). El cuadro fue pintado cuando el artista contaba treinta años y había afianzado ya la simplicidad en la figura y un lenguaje expresionista-simbolista lleno de carga estética.

Él mismo cuenta que surgió como descripición de su propia vivencia interior cuando, en un atardecer, se sintió, de repente, cansado y enfermo «al contemplar la caída del sol» y ver que «las nubes se tiñeron de rojo como la sangre». La tristeza por la huida de la luz, la impotencia ante la fugacidad del día (¿quizá de la vida?) le produjo tal sobrecogimiento, tal sensación indefinida, que su única salida fue sentarse ante el lienzo y crear una explosión de color que diera rienda suelta a sus más íntimas emociones.

Con todo, la mayor fuerza expresiva la introdujo en esa figura humana que, con grito angustiado, quiere —y no puede— explicarse el porqué de la soledad del hombre ante las fuerzas desatadas de la Naturaleza.

El juego de luces, el contraste de líneas (sinuosidad y rectitud), la disposición de las figuras, y la pincelada abigarrada o simplemente insinuada, consiguen el objetivo de no dejar indiferente al espectador.

© Edvard Munch, VEGAP, Barcelona 2005

Mujer sentada en un diván (1883)

H. M. de Toulouse-Lautrec (1864-1901)

Albi. Museo Toulouse-Lautrec

La duda y la indecisión son y crean manifestaciones de preocupación indefinida sin motivo aparente. Esto supone, al interiorizarse, una alteración de la conducta a veces problemática.

Sin ser ése posiblemente el motivo por el que Toulouse-Lautrec pintara este cuadro, lo cierto es que el mensaje estético que de él se desprende es el de encontrarnos ante una persona indecisa, preocupada, acongojada, que pudiera llegar a angustiarse.

La mirada fija y el dedo en la boca de la mujer pensativa no dejan lugar a que dudemos sobre la interpretación dada en las líneas anteriores.

El genial pintor francés ha perfilado una figura de mujer delicada, recatada si se quiere, cuyo cuerpo semidesnudo aparece tratado de una forma especialmente singular: la pincelada estudiada, las facciones totalmente acabadas y el dibujo delimitado. El artista establece así un ambiente de luces suaves y líneas zigzagueantes que enmarcan una atmósfera de intimidad, llena de cariño por lo femenino, lejos de las actitudes —a veces groseras— que el mismo Henri utilizó en la representación de frívolos personajes en otras obras suyas.

Sin embargo, se nos antoja que un fuerte aire de desasosiego recorre todo el cuerpo femenino...

A todo este cálido ambiente de intimidad, en cierto modo desasosegada, contribuye la perfecta elección de los colores, que tratan de romper con el tradicional lenguaje naturalista y atisban las nuevas concepciones vanguardistas, transformando la escena en una llamada a la comprensión de quien quizá se encuentra en una situación no deseada.

Madeleine (1892)

R. Casas (1866-1932)
Barcelona. Museo de Montserrat

Firmado y fechado por el autor en el vértice inferior izquierdo, este formidable cuadro bien podría titularse *Espera, impaciencia e intranquilidad,* pues eso, precisamente, es lo que parece expresar la actitud de Madeleine. La influencia de la pintura francesa y de los ambientes parisinos del XIX es clara y se pone en evidencia por la temática —recordemos algunas de las obras del cercano Degas—; pero también hay una diferencia: la actitud de los protagonistas. En Degas, se transmite una sensación de extraño vacío. Aquí, la mujer parece estremecerse en un ademán de intraquilidad, sin causa aparente, con un cuerpo contorsionado y una posición forzada que el pintor consigue a través de un buen estudio de líneas quebradas.

El hermoso rostro, de mirada triste y apenada, escudriña la lejanía sin precisarse con seguridad lo que espera, mientras que, para paliar los efectos de la lucha interior, Madeleine pone en juego los truculentos remedios del círculo vicioso: tabaco y alcohol.

Con estos elementos estéticos y los formales de delicadeza de color (rojo, blanco y crema) y pincelada detallista, el pintor catalán intenta acercarnos al iris de unos ojos que quieren decírnoslo todo y, sin embargo, no desvelan nada sobre la angustia del personaje retratado.

Medusa u *Ola furiosa (1897)*

L. Lévy-Dhurmer (1865-1953)
París. Museo de Orsay

Aunque poco conocido en su faceta pictórica, Lévy-Dhurmer es un ejemplo del simbolismo intimista francés de comienzos del siglo XX, a caballo entre los últimos planteamientos academicistas y las mejores innovaciones impresionistas.

Sus obras de pequeño formato, entre las que hay que mencionar esta *Ola furiosa* (también conocida como *Medusa*), están impregnadas de tecnicismo en cuanto a la estructura formal, pero su contenido estético se aleja de la figuración y del cromatismo real para darnos una imagen que deja libres espacios sin forma y crea figuras que, gracias al simple juego de colores, adquieren una dimensión ajena al mundo de los objetos mensurables.

En efecto, esta misma obra intenta hacernos penetrar en la interioridad inconsciente, etérea, que, de algún modo, todo ser humano desearía poder expresar.

La angustia del que se siente atrapado por las «algas» vitales de sus propias torturas interiores queda perfectamente reflejada aquí a través de una boca que quiere gritar de forma desgarradora y unos ojos convulsos que se inflaman de desesperación.

Mientras, en medio de las aguas turbulentas del mundo, las manos agarrotadas por la impaciencia tratan de arrancar de sí todo lo que puede llegar a anular la razón de ser de uno mismo...

La loca o La jugadora (entre 1819 y 1824)

T. Géricault (1791-1824)
París. Museo del Louvre

Posiblemente sea éste uno de los numerosos cuadros referidos a enfermos mentales que el pintor francés realizó para y por encargo de un médico forense amigo suyo.

El retrato de *La loca* permite a Géricault presentarnos ciertos rasgos plenamente enmarcados en el movimiento artístico romántico y, con muy pocos elementos pictóricos, trazar magistralmente las características propias del anciano demente.

La simplicidad de colores planos, en gama alternante de claros y oscuros, junto a una línea gruesa que perfila las formas, es suficiente para hacer que nos estremezcamos ante esa mirada perdida, pero serena, y esa boca entreabierta, pero inexpresiva, que parece querer interrogarnos sobre alguna inquietud propia y no sabe cómo hacerlo.

Por eso, aunque encorvada, levanta la vista hacia el espectador —situado ante ella— y trata de hacer un último esfuerzo para no volver a casi esconder el rostro entre los hombros.

De cualquier manera, no nos encontramos ante la imagen tópica del anciano demente, descuidado, sucio, de ademanes desesperados y desesperantes. *La loca* de Géricault está tratada con cierta ternura, a pesar de la seriedad; con serenidad, a pesar de que sus párpados aparezcan casi sin pestañas, perdidas quizá por el sufrimiento y el llanto frecuente. Por ello, un halo de tristeza nos invade ante la visión de quien —posiblemente— sufrió en su día un serio episodio cerebrovascular y ahora se encuentra en el más profundo vacío expresivo, que el tenebrista fondo oscuro se encarga de acentuar.

Vieja mesándose los cabellos

Q. Metsys (hacia 1466-1530)
Madrid. Museo del Prado

Todo lo contrario a la serenidad de *La Loca* (T. Géricault), la desesperación parece haberse adueñado de esta anciana del Museo del Prado, que no encuentra ni explicación ni causa a su desdicha y su mal.

Todo su ser se convulsiona desde dentro para rechazar la aceptación de algo que, con su cordura disminuida, no es capaz de controlar. Esto parece introducirla en un círculo vicioso de no comprensión-rechazo-desesperación, que no hace sino sumirla en una situación de arrebatos permanentes que no le permiten el más mínimo respiro para la calma y el sosiego. Por eso, se aferra al cabello en ademán de arrancarlo, lo que procura a la escena un claro aliciente de desaliño y tormento interior.

El gesto adusto de un rostro decrépito es todo un poema visual sobre la agresividad y la violencia contra uno mismo y los demás, mientras unos ojos interpelantes piden la forzada ayuda y la deseada solución que nunca llegan.

La expresividad que Metsys (o Massys) introduce en esta figura es muestra de la cercanía de su pintura a la de ese gran genio que fue Leonardo da Vinci.

Sin embargo, el tratamiento menos acabado de ropajes, pliegues y estudios anatómicos sitúan al pintor de Lovaina entre los primitivos flamencos de la última generación, cerca del estilo tradicional, aunque los fondos (que no la luz) atisben momentos caravaggescos posteriores.

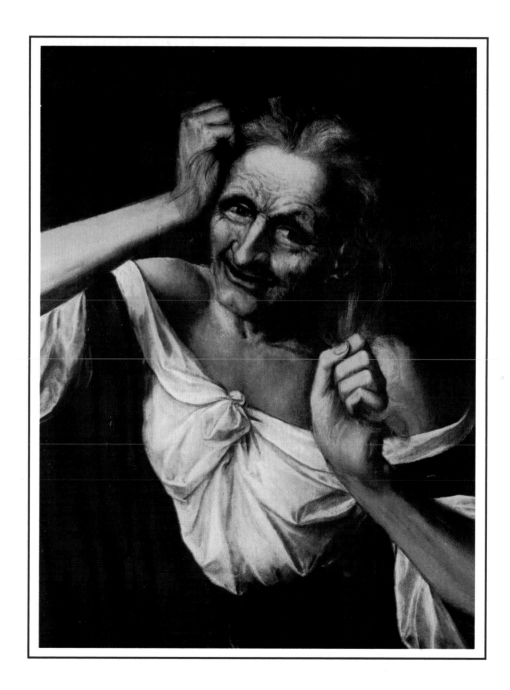

Casa de locos (entre 1812 y 1819)

F. de Goya (1746-1828)

Madrid. Museo de la Real Academia de Bellas Artes de San Fernando

En el inicio de la segunda década del siglo XIX (entre 1810 y 1820) Francisco de Goya se convierte en «el primero de una larga serie de artistas que se preocupa por la tipificación (...) que da como resultado la particularidad» (Bozal, 1972).

Es decir, Goya recrea los tipos universales de la realidad temática a partir de la individualización de los personajes en escena, para ofrecer un conjunto pictórico cuyos rasgos más significativos suponen un adelantarse a los planteamientos de buena parte de la pintura decimonónica.

Esto es lo que, ante todo, pone de manifiesto el gran genio de Fuendetodos cuando vuelca su inquietud de los años de guerra en esta obra, para hacer de España una «casa de locos» en la que cada uno desempeña su papel.

El ambiente y los personajes nos hablan de individualidades y colectividades con una concepción escenográfica en la que no está ausente la influencia del otro gran maestro, Velázquez, si bien la tensión en Goya es mucho mayor.

Sin duda, Goya trata a sus personajes con interpelante realidad, pero con ternura, al modo con el que el pintor sevillano había tratado a muchas de sus figuras escénicas: *Los borrachos, La fragua de Vulcano,* etc.; sin embargo, es manifiesta la agresividad del tema y la disposición individual de los figurantes en su obra.

La frialdad cromática, el acabado contorno de las figuras y la composición, sustentada por líneas y grupos, nos ofrecen la visión de un disparatado mundo cotidiano que no tiene nada que ver con la elocuencia o la artificiosidad del tratamiento velazqueño; un mundo que, aunque pretendemos mantenerlo alejado de nuestro hedonismo diario, nos conmueve.

La demencia de Doña Juana de Castilla (1866)

L. Vallés (1831-1910)

Madrid. Museo del Prado (Casón del Buen Retiro)

La pintura de historia es quizá uno de los géneros que ha estado más relegado durante el siglo XX como valor significativo de la estética pictórica. Sin embargo, hoy no nos cabe la menor duda de lo que el género supone en cuanto al esfuerzo y la búsqueda por la creación plástica al tiempo que de testimonio actualizado de un tiempo pasado. La obra de grandísimos pintores como E. Rosales, R. Casas, M. Fortuny, etc. así lo demuestra.

Dentro del género, los temas fueron muy diversos y ningún acontecimiento dejó de poder ser tratado como elemento de auténtica crónica, desde el retrato al más significativo hecho de influencia universal.

En nuestro ejemplo, *La demencia de Doña Juana de Castilla* (en 1855 Clavé había pintado ya *La demencia de Isabel de Portugal* y en 1877 Pradilla volvería a recrear la «locura de amor» de Doña Juana en las exequias de su esposo), se nos ofrece la captación intimista de un instante en la vida familiar de grandes personajes históricos. La obra está calada de recursos dramáticos en los que la honda personalidad, enajenada y desequilibrada ya, de la heredera de Castilla representa el papel protagonista. La actitud serena, más inquietante, de Doña Juana es recogida magistralmente por el artista, que hace del estudio de la luz y el modelado de las manos de la enamorada reina su más cualificado cómplice de la perfección estética formal; en cambio, el estudio del rostro parece responder a modelos del natural, lo que nos da una visión de «inmediatez cotidiana» (Díez, 1992), sin pretensiones idealizadoras, que queda patente en el descuido de los cabellos revueltos y en los bellísimos ojos, de mirada dura, agresiva, esquiva, perdida, que nos hablan a las claras del desvarío amoroso, quizá heredado de su abuela, Isabel de Portugal.

Eva bretona o Melancolía (hacia 1890)

P. Sérusier (hacia 1863-1927)
París. Museo de Orsay

Uno de los pilares fundamentales en la renovación de la pintura de transición de las vanguardias del siglo XX lo constituye, sin ningún género de dudas, el movimiento *nabi*; es decir, el de los llamados *pintores profetas*.

El elemento de unión entre éstos y su origen (el gran maestro Gauguin) se sitúa en Sérusier. El punto de partida es la lección que Gaugin da sobre el color a Sérusier.

Éste cumple a rajatabla la enseñanza y sus contínuos ensayos cromáticos, apoyados en un rico dibujo esquemático, convierten la realidad del paisaje en un canto poético al color, incrustado en la abstracción de la superficie plana.

El contrapunto vienen a desarrollarlo el tema y los personajes, sobre los que el pintor vuelca todos los recursos que conoce para expresar el estado de ánimo de la figura protagonista, la cual parece conducirse como un ente fantasmal que intenta dar explicación a lo intemporal, a lo extraño. Es ésta una visión completamente nueva y alejada de las antiguas fórmulas expresionistas.

El aspecto melancólico-depresivo del personaje se potencia con un cierto sentido trágico y pasional, con aire de misterio, en medio de un paisaje que hace más intimista, introvertida, la tensión que desprende.

El recurso concreto de Sérusier para introducir esta visión casi mística, llena de fuerza simbólica, es la utilización frecuente de la línea curva y quebrada en la representación humana, inmersa en un aire de dulce calma y recogimiento que no son suficientes para desvelar la duda interior.

San Luis Rey de Francia (hacia 1590)

D. Theotokopoulos «El Greco» (1540-1614)
París. Museo del Louvre

Tenemos ante nosotros una obra que encarna el estudio piscológico de quien ostenta la más alta dignidad política de cualquier tiempo: un rey. De quién se trata es algo de lo que todavía no se tiene certeza. El retrato muestra que es un personaje real, no cabe duda, pero unos lo han identificado con San Luis, rey de Francia —la flor de lis que aparece sería un signo inequívoco como testimonio de tal identificación—; otros como Fernando el Católico y no ha faltado quien lo haga coincidir con el mismísimo Fernando III el Santo o algún otro de los reyes medievales cristianos.

Sea quien sea el personaje, no se nos escapa que es extraordinaria la factura de un rostro macilento, de nariz afilada y mirada perdida que contrasta con las idealizaciones del fondo y los ropajes.

El simbolismo es claro; nos encontramos ante un soberano que, seguramente, abrumado por el peso de la responsabilidad, se nos manifiesta en una actitud completamente pasiva, indiferente, desganada, dominada por la dejadez y por una apesadumbrada tristeza depresiva, expresada en su manera casi mecánica de posar, ajena a cuanto ocurre a su alrededor, que evoca la debilidad de un carácter sumido en la desesperanza.

El contraste que apuntábamos al principio lo sitúa El Greco en la columna del fondo, como símbolo de fortaleza, reciedumbre y firmeza. El tratamiento de luces y el brillo de la armadura parecen querer expresar un sentimiento de compasión, así como el deseo de dar cobijo y grandeza a la enfermiza figura del solitario rey...

Detalle de Heráclito (hacia 1638)

P. P. Rubens (1577-1640)
Madrid. Museo del Prado

Cuando uno no ha asumido previamente lo limitado de la naturaleza humana, puede verse seriamente dañado en su psiquismo al primer contratiempo serio que pueda presentarse o ante la imposibilidad de control de una situación imprevista.

Ésto es lo que parece desprenderse de la crispación de las manos y de las lágrimas de desconsuelo que la figura del cuadro, a caballo entre el eremita penitente y el sabio defraudado, nos presenta.

El tratamiento que Rubens da a la posición de los brazos y las manos, con la derecha —puño cerrado— sirviendo de apoyo a la mejilla, y el pliegue de un rostro con cejas arqueadas por el gesto del llanto, nos hablan de un personaje sumido en la más profunda tristeza y amargura, preludios de una grave situación de salud mental que puede llevar aparejado el abandono más absoluto de sí mismo.

Rubens ha captado el momento, la instantánea fugaz, con una excelente finura de detalles y un formidable estudio de la mirada que, al mismo tiempo, confieren a esa fugacidad un aire de perennidad, de permanencia, casi sublime.

El profundo pesar que brota del gesto viene a decirnos cómo la impotencia ante lo no conseguido, ante la fallida «obra bien hecha», la rabia ante el fracaso, no conoce edad y puede llevarnos a un túnel vital sin salida.

Por eso, el artista hilvana los brochazos que dan realidad a una vida anciana que nos apesadumbra, pero a la que quisiéramos llevar adelante y proporcionar algo de nuestra alegría...

Pierrot (hacia 1718)

J. A. Watteau (1684-1721)
París. Museo del Louvre

También llamado *Gilles,* este cuadro constituye un hito en la historia de la pintura, sobre todo dentro del género galante. Es una obra singular en la producción de Watteau por cuanto supone de distanciamiento con respecto a la temática más representativa del pintor, las fiestas galantes.

Aquí, nos ofrece la única pieza en la que se expone la figura central a tamaño natural y en la que el personaje de la comedia italiana (Pierrot) es tratado con un total protagonismo. *Gilles* representa la clara imagen de un lunático con deliberada actitud melancólica y de profunda simpleza e inocencia de corazón.

La pincelada depuradísima del artista francés y el excelente tratamiento de los paños, junto a la brevísima composición vertical, dan como resultado una factura extraordinaria del personaje que, alejado, aislado del mundo, indiferente a la posible burla de su entorno, se coloca en el centro de la escena dejando ver un rostro que refleja su proximidad al abismo depresivo.

Tan sublime le ha parecido la apariencia a algún autor que no ha dudado en calificar de nuevo *ecce homo* a esta figura vestida de esplendoroso blanco, víctima de la burlesca mentira del mundo, el cual, sin necesidad de palabras, deja al descubierto lo necio de nuestra complicidad, cuyo sentimiento de realidad nos hace estremecer de culpa.

El hombre de la pipa (autorretrato) (1889)

V. Van Gogh (1853-1890)
Chicago. Colección particular

De entre los numerosos autorretratos de Van Gogh, quizá sea éste uno de los que mejor reflejan todo el empeño, la inquietud y la pasión del artista en la búsqueda interior del bien y el logro de una belleza de formas innovadoras en la pintura, a partir de su nueva concepción expresionista del color.

Si pensamos que está realizado tan sólo un año antes de su muerte y cómo deja constancia de su propia realidad automutilada (se había cortado la oreja en un arrebato de arrepentimiento exagerado por lo que pensaba que había sido una irrespetuosa rebelión contra Gauguin), nos daremos cuenta de que nos encontramos ante una personalidad singular cuyo abandono del mundo y exceso de celo por hacer el bien, con una generosidad extrema, le llevaron al deterioro total de su salud mental y a su destrucción como persona.

Desde el punto de vista técnico, la utilización del tubo de pintura como forma pura de dar vida al lienzo, su despreocupación formal, remarcando únicamente los perfiles de las grandes manchas tonales de color, crean el espacio pictórico en el que el genio vierte la expresiva visión de sí mismo, de su permanente sacudida interior, a veces exultante, y —casi siempre— tempestuosa y triste.

Este extraordinario cuadro de su época de Arles supone una total afirmación de la libertad artística a la que había llegado Vincent como desafío a cualquier tentación de encasillamiento.

Por eso, hace un retrato de sí mismo sin la más mínima posibilidad de conmiseración o de actitud compasiva; por el contrario, resuelve la obra como una violenta síntesis de color en un alarde de malsana complacencia con lo que le atormenta: crisis, soledad, desvarío...

1. Aris A. Medicina en la pintura. Barcelona: Lunwerg; 2002.

2. Ayuso Arroyo PP. Espejos del alma. Madrid: International Marketing & Communication; 1993.

3. Azcárate JM y otros. Historia del arte. Madrid: Anaya; 1994.

4. Bozal V. Historia del Arte en España. Madrid: Istmo; 1972.

5. Castillo Ojugas A. Una visita médica al museo del Prado. Madrid: Fundación SB; 1999.

6. Cunningham E. La representación pictórica de la depresión. Tomo 8. Col. Psicopatología de la expresión. Madrid, 1965.

7. Enachescu C. y otros. Pinturas de alcohólicos. Tomo 16. Col. Psicopatología de la expresión. Madrid, 1976.

8. Gaya Nuño JA. Ataraxia y desasosiego en el arte. Madrid: Instituto Ibys; 1958.

9. Gombrich EH. Historia del arte. 5.ª ed. Barcelona: Alianza; 1975.

10. González Duro E. Historia de la locura en España. Tomo I. Madrid: Temas de hoy; 1994.

11. González F, Portera A y de Portugal J. El museo de la medicina. Madrid: PBM; 2001.

12. González F, Navarro A y Sánchez MA. Los hospitales a través de la historia y el arte. Barcelona: Grupo Ars XXI de Comunicación; 2005.

13. Laín P. Historia de la Medicina. Barcelona: Salvat; 1982.

14. Marinow A y otros. Toxicomanía y pintura. Tomo 20. Col. Psicopatología de la expresión. Madrid, 1974.

15. Minois G. Historia de la vejez. Madrid: Nerea; 1987.

16. Navratia L y otros. Entre Heros y Thanatos. Tomo 14. Col. Psicopatología de la expresión. Madrid, 1970.

17. Portera A y González F. Envejecimiento ciencia y arte. Círculo médico, 1999.

18. Rose-Marie y Hagen R. Los secretos de las obras de arte. Colonia: Taschen; 2001.

19. Sendrail M. Historia cultural de la enfermedad. Madrid: Espasa-Calpe; 1983.

20. VV.AA. La pintura de historia del siglo XIX. Madrid: Cátedra; 1992. p. 250.

21. VV.AA. Grandes museos del mundo. 6 tomos. Barcelona: Océano; 1997.